Longe É Um Lugar

Ilustrações de H. Lee Shapiro
Tradução de A.B. Pinheiro de Lemos

Richard Bach

Que Não Existe

34ª EDIÇÃO

2024

CIP-Brasil. Catalogação-na-fonte
Sindicato Nacional dos Editores de Livros, RJ.

B118L
34ª ed.

Bach, Richard
Longe é um lugar que não existe / Richard Bach; ilustrações de H. Lee Shapiro; tradução de A.B. Pinheiro de Lemos. – 34ª ed. – Rio de Janeiro: Galerinha, 2024.

Tradução de: There's no such place as far away
ISBN 978-85-01-01520-4

1. Ficção norte-americana. I. Lemos, A. B. Pinheiro de (Lemos, Alfredo Barcelos Pinheiro de), 1938- . II. Título.

99-0706

CDD – 813
CDU – 820(73)-3

Título original norte-americano
There's No Such Place As Far Away

Impresso no Brasil

ISBN 978-85-01-01520-4

Obras do Autor na Editora

O Dom de Voar
Ilusões
O Paraíso É uma Questão Pessoal
A Ponte para o Sempre
Um
Fugindo do Ninho
Fora de Mim

Rae!
Obrigado por me convidar
para a sua festa de aniversário!

Sua casa fica a mil quilômetros
da minha e viajo apenas
pela melhor das razões.
Uma festa para Rae é a melhor
e estou ansioso para estar ao seu lado.

Começo a viagem no coração do beija-flor
que há tanto tempo você e eu conhecemos.
Ele se mostrou amigo como sempre,
mas ficou espantado quando lhe disse
que a pequena Rae estava crescendo
e que eu estava indo à sua festa de
aniversário, levando um presente.

Voamos algum tempo em silêncio,
até que finalmente ele disse:
- Não entendo muito bem
o que você falou, mas
o que menos entendo é o
fato de estar *indo* a uma festa.

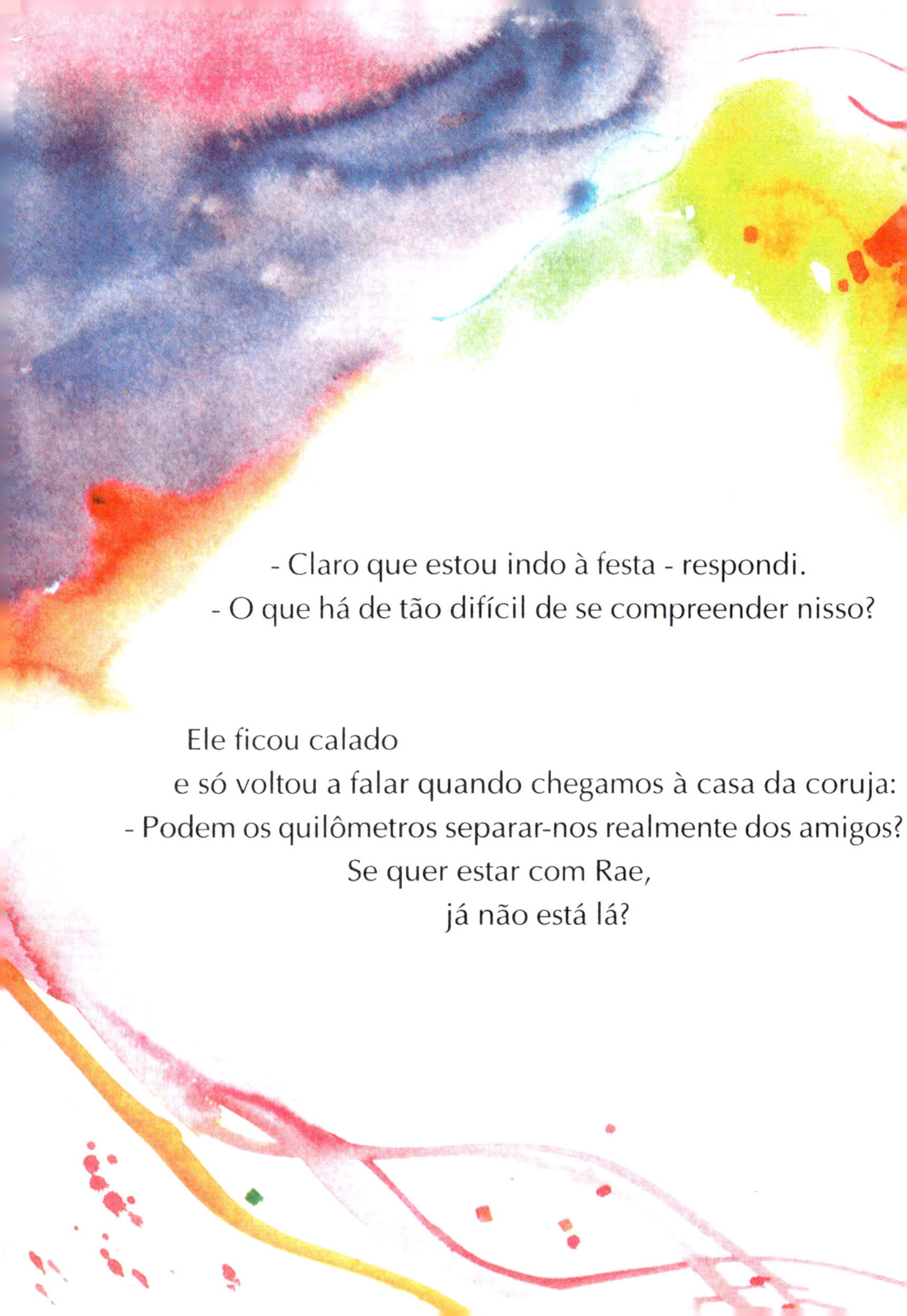

- Claro que estou indo à festa - respondi.
- O que há de tão difícil de se compreender nisso?

Ele ficou calado
e só voltou a falar quando chegamos à casa da coruja:
- Podem os quilômetros separar-nos realmente dos amigos?
Se quer estar com Rae,
já não está lá?

- A pequena Rae está crescendo
e estou indo à sua festa de aniversário
com um presente - falei para a coruja.
Parecia estranho dizer *indo* depois da conversa
com Beija-flor, mas falei assim mesmo
para que Coruja compreendesse.

Ela voou em silêncio por um longo tempo.

Era um silêncio amistoso,

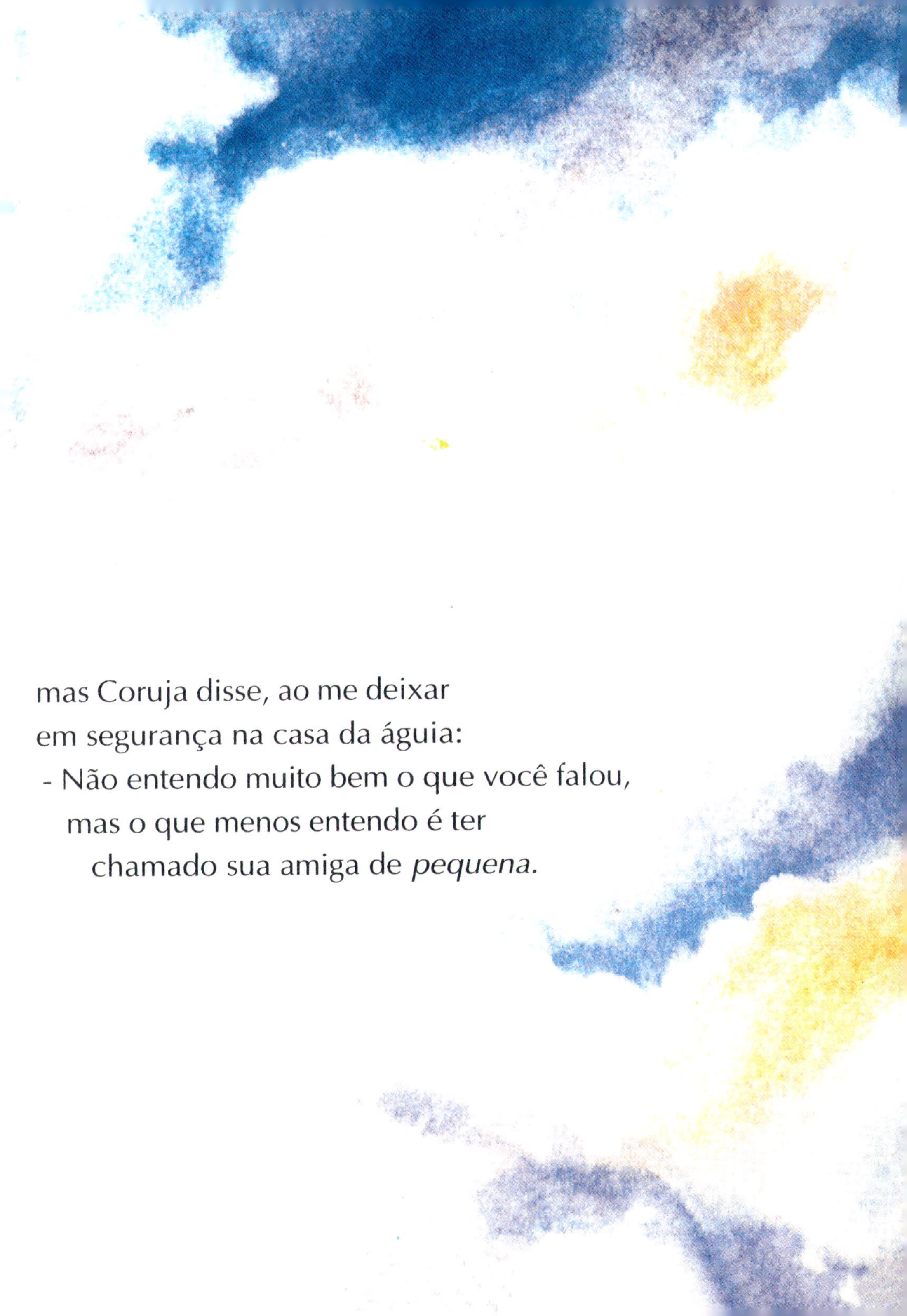

mas Coruja disse, ao me deixar
em segurança na casa da águia:
- Não entendo muito bem o que você falou,
mas o que menos entendo é ter
chamado sua amiga de *pequena*.

- Claro que ela é pequena, porque
não é crescida - respondi.
- O que há de tão
difícil de se
compreender nisso?

Coruja fitou-me
com os olhos profundos,
cor de âmbar,
sorriu e disse:
- Pense a respeito.

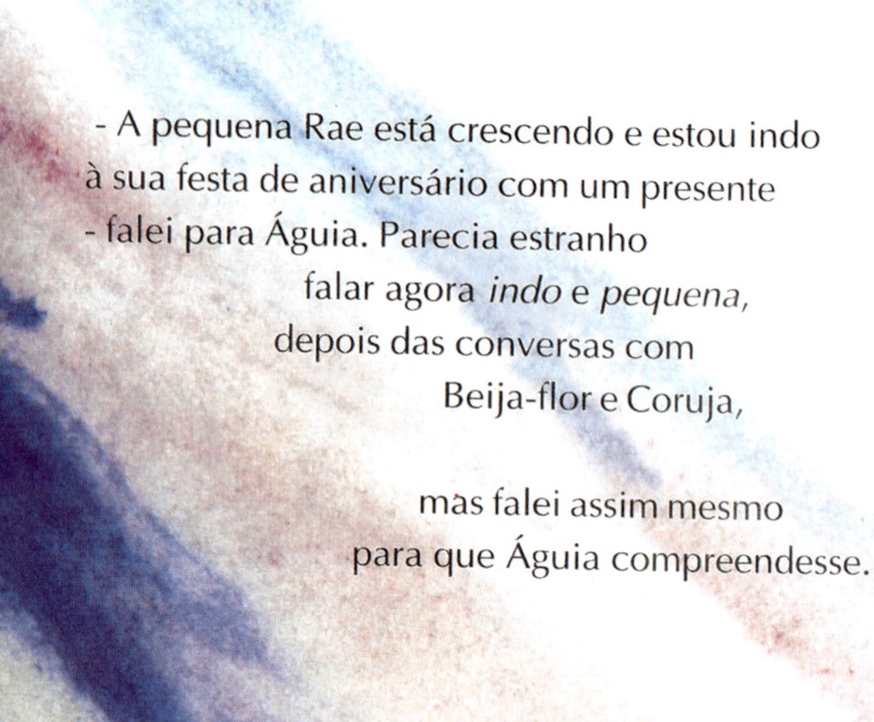

\- A pequena Rae está crescendo e estou indo
à sua festa de aniversário com um presente
\- falei para Águia. Parecia estranho
falar agora *indo* e *pequena*,
depois das conversas com
Beija-flor e Coruja,

mas falei assim mesmo
para que Águia compreendesse.

Voamos juntos
sobre as montanhas,
subindo nos ventos das montanhas.

E Águia finalmente disse:

- Não entendo muito bem o que você falou, mas o que menos entendo é essa palavra *aniversário.*

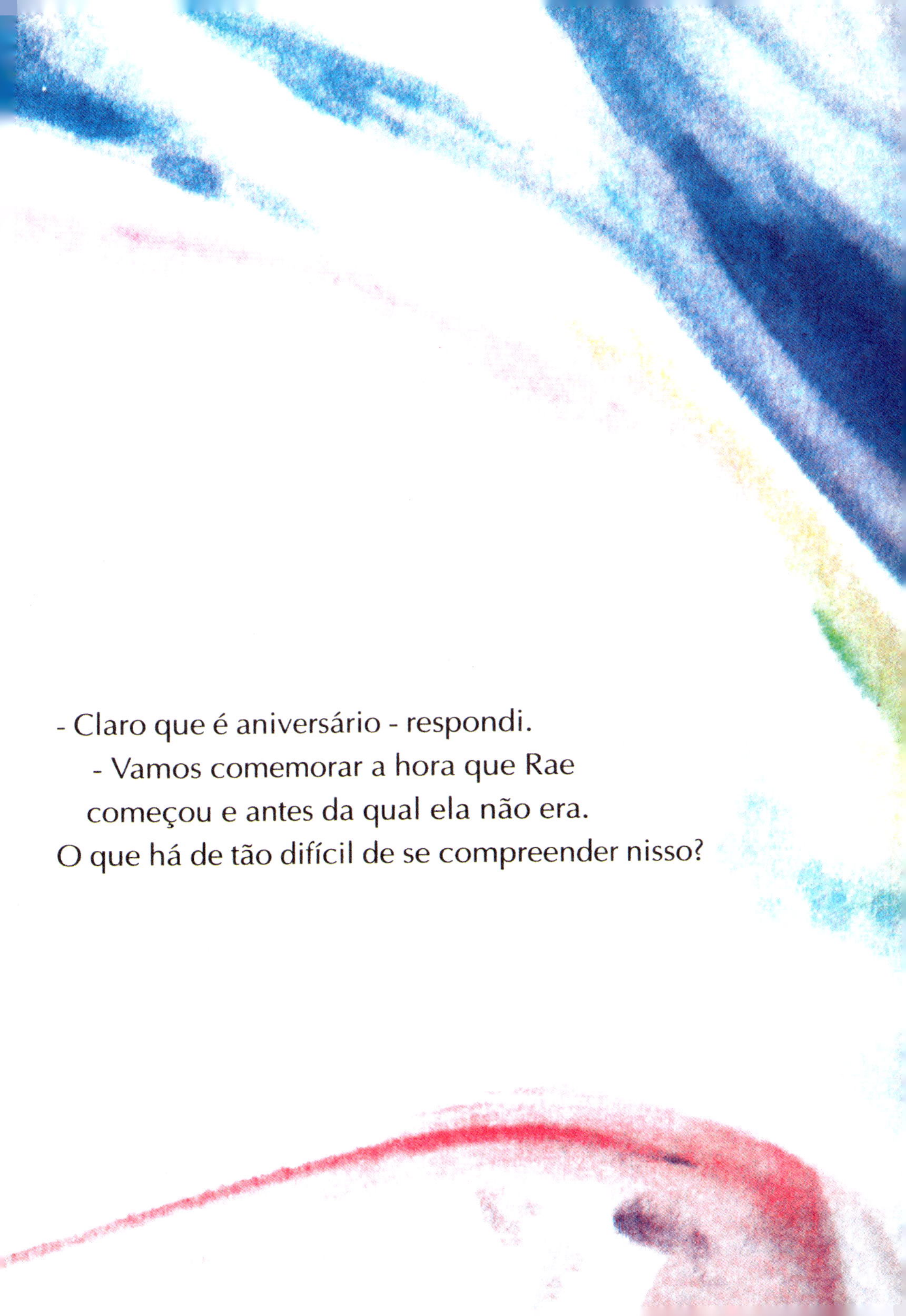

- Claro que é aniversário - respondi.
  - Vamos comemorar a hora que Rae
  começou e antes da qual ela não era.
O que há de tão difícil de se compreender nisso?

Águia curvou as asas
para a descida e foi
pousar suavemente
sobre a areia do deserto.

- Um tempo antes da vida de Rae
começar? Não acha que é mais
a vida de Rae que começou
antes que o tempo existisse?

- A pequena Rae está crescendo
e estou indo à sua festa de aniversário
com um presente - falei para Gavião.

Parecia estranho falar *indo, pequena* e
aniversário, depois das conversas com
Beija-flor, Coruja e Águia, mas

falei assim mesmo para que
Gavião compreendesse.

O deserto se estendia interminavelmente
lá embaixo e ele finalmente disse:
- Não entendo muito bem
o que você falou, mas o que
menos entendo é *crescendo.*

- Claro que ela está crescendo - respondi.
- Rae está mais perto de ser adulta,
mais um ano longe de ser criança.

O que há de tão difícil de se compreender nisso?

Gavião pousou finalmente numa praia deserta.
- Mais um ano longe de ser criança?

e foi embora.

E Gavião alçou vôo

Isso não me parece ser o mesmo que crescer.

Eu conhecia o bom senso de Gaivota.
Voamos juntos, pensei com muito cuidado
e escolhi as palavras, a fim de que, ao falar,
Gaivota soubesse que eu estava aprendendo:

- Gaivota, por que está me
levando a voar para ver Rae,
quando na verdade sabe
que estou com ela?

Gaivota sobrevoou
o mar,
as colinas,
as ruas
e pousou suavemente
em seu telhado.

E disse:

- Porque o importante é você saber a verdade.
Até saber, até realmente compreender,
só pode demonstrá-la em coisas
menores, com ajuda externa,
de máquinas
e pessoas
e pássaros.
Mas deve se lembrar sempre
que não saber não impede
a verdade de ser
verdadeira.

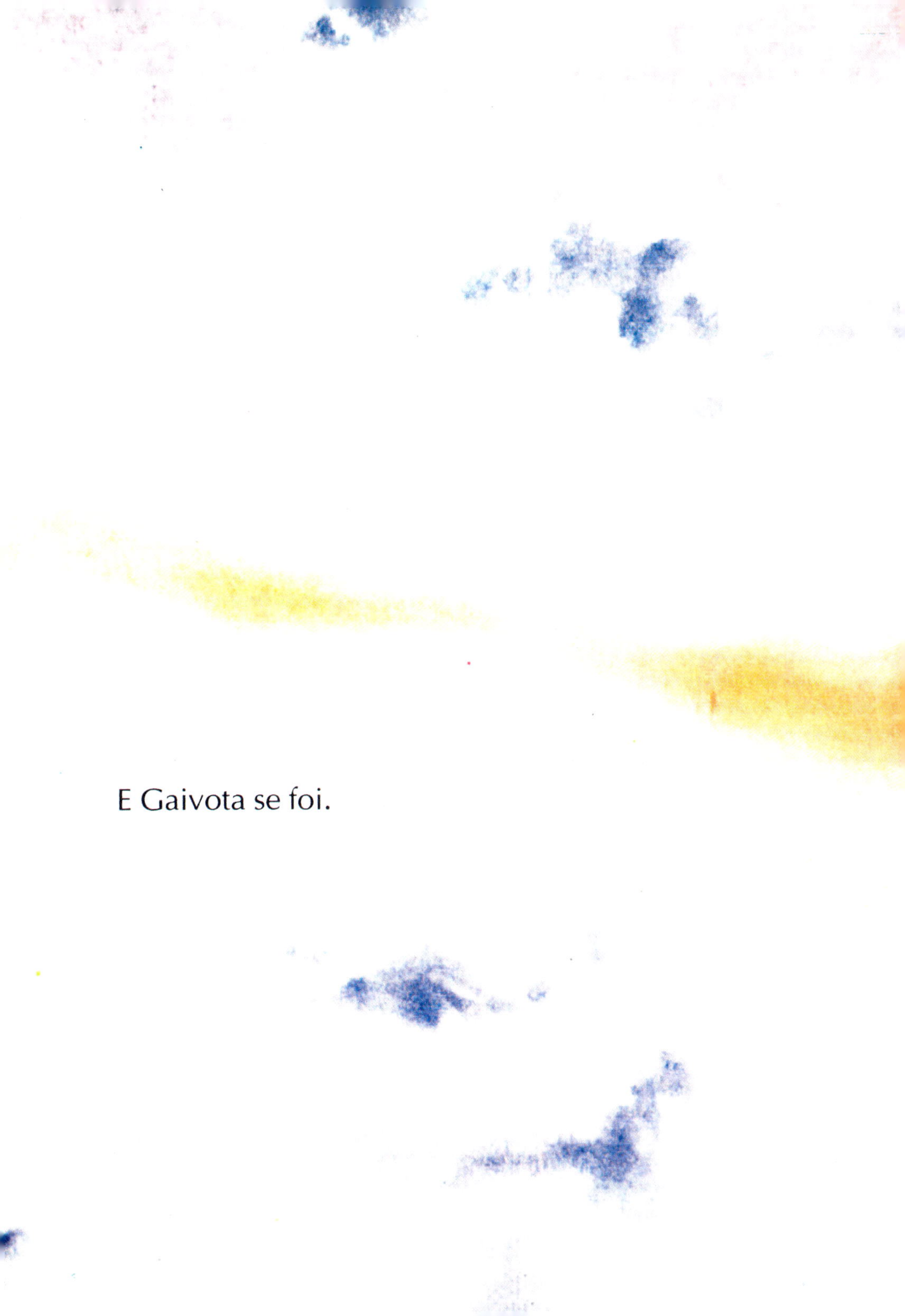

E Gaivota se foi.

E agora é chegado o momento
de abrir seu presente.
Presentes de lata e vidro
amassam e quebram num dia,
somem para sempre.
Mas eu tenho um presente melhor para você.

É um anel para você usar.
Cintila com uma luz especial
e não pode ser tirado por ninguém,
não pode ser destruído.
Somente você, no mundo inteiro,
pode ver o anel que lhe dou hoje,
como fui o único que pude vê-lo
quando era meu.

O anel lhe dá um novo poder.
Usando-o, você pode alçar vôo
nas asas de todos os pássaros
que voam.

Pode ver através dos olhos dourados deles,
pode tocar o vento que passa por suas penas macias,
pode conhecer a alegria de se elevar
muito acima do mundo e suas preocupações.
Pode permanecer no céu
por tanto tempo quanto quiser,
através da noite,
pelo nascer do sol;
e quando sentir vontade de outra vez descer,
suas perguntas terão respostas,
suas preocupações terão acabado.

Como tudo o que não pode ser
tocado com a mão
nem visto com o olho,

seu presente se torna mais
forte à medida que o usa.

A princípio,
pode usá-lo apenas quando está fora de casa,
contemplando o pássaro com quem você voa.

Mais tarde, porém, se usá-lo bem,
vai funcionar com pássaros
que não pode ver,
até que finalmente acabará descobrindo
que não precisa do anel
nem de pássaro
para voar sozinho acima
da quietude das nuvens.

E quando esse dia chegar,
deve dar seu presente a alguém
que saiba que irá usá-lo bem,
alguém que possa aprender
que as únicas coisas que importam
são as feitas de verdade e alegria,
não as de lata e vidro.

Rae, este é o último dia especial
de comemoração a cada ano que estarei
com você, tendo aprendido o que aprendi
com os nossos amigos, os pássaros.

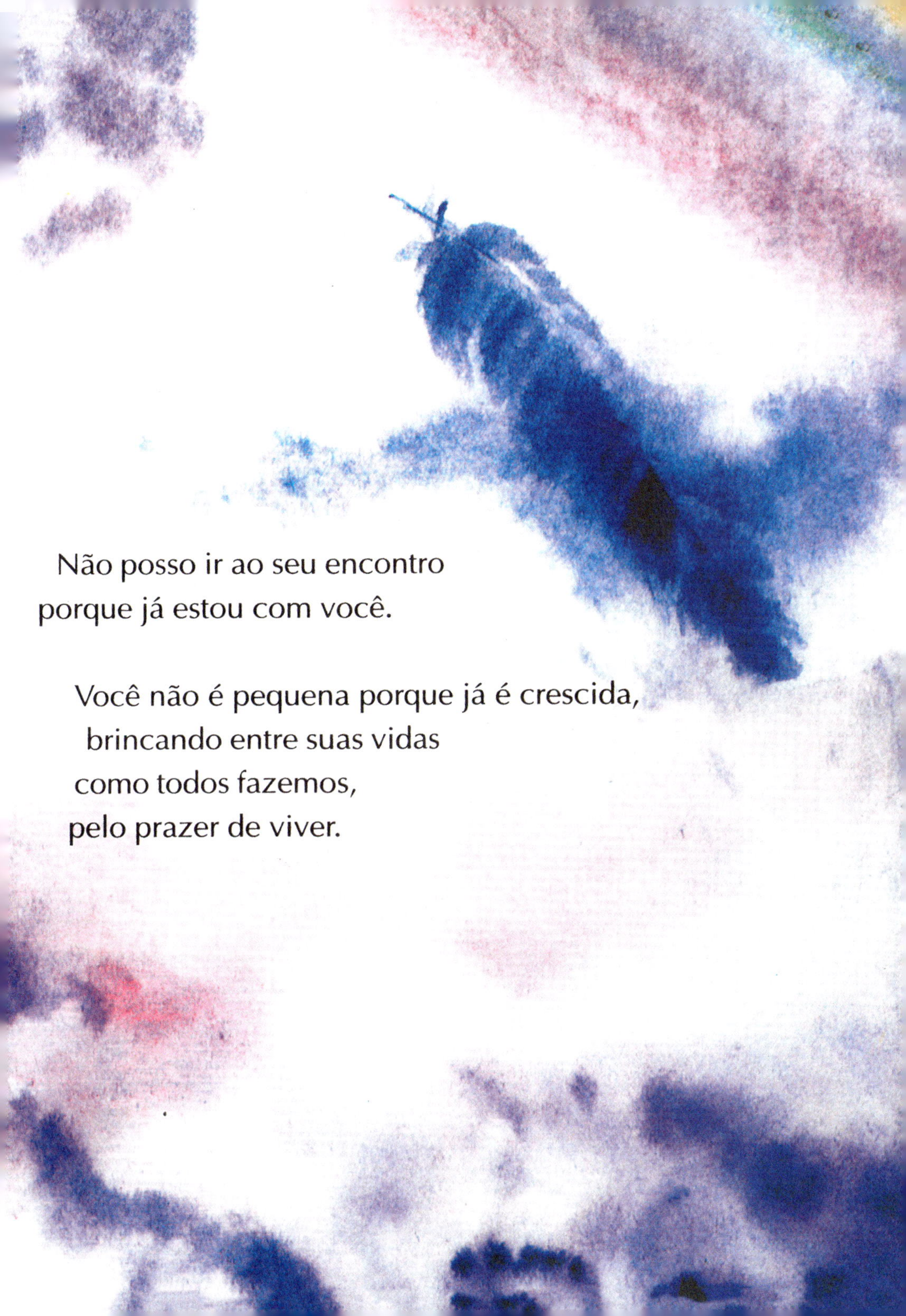

Não posso ir ao seu encontro
porque já estou com você.

Você não é pequena porque já é crescida,
brincando entre suas vidas
como todos fazemos,
pelo prazer de viver.

Você não tem aniversário
porque sempre viveu;
nunca nasceu, jamais haverá de morrer.
Não é a filha das pessoas
a quem chama de mãe e pai,
mas a companheira de aventuras delas
na jornada maravilhosa
para compreender as coisas que são.

Cada presente de um amigo
é um desejo por sua felicidade.
É o caso deste anel.

Voe livre e feliz além de
aniversários e através do sempre.
Haveremos de nos encontrar outra vez,
sempre que desejarmos,
no meio da única comemoração

que não pode jamais terminar.

Impresso na Gráfica Cruzado